DE KINDEREN VAN DE GROTE BEER

Wiebelbiebeltanden

groep 2

In de serie

DE KINDEREN VAN DE GROTE BEER

zijn inmiddels verschenen:

Een kringetje van tralala - groep 1

Wiebelbiebeltanden - groep 2

Opgepast, ik lust een hele boekenkast - groep 3

Rekenen in het oerwoud - groep 4

Help! Juf is verliefd - groep 5

Klapzoenen en valsspelers - groep 6

Schreeuwende slaapzakken en stiekeme stropers - groep 7

Een broodje gras en linke soep - groep 8

Carry Slee

DE KINDEREN VAN DE GROTE BEER

Wiebelbiebeltanden

Met tekeningen van Dagmar Stam

Van Holkema & Warendorf

Met dank aan juf Inge van het Kompas in Alkmaar

Achtste druk 2000

ISBN 90 269 8802 8

Unieboek BV, Postbus 97, 3990 DB Houten

www.unieboek.nl

Tekst: Carry Slee
Tekeningen: Dagmar Stam
Vormgeving: Ton Ellemers

Inhoud

De kukelgiechel

De vakantie is voorbij. Juf Inge staat weer in de deuropening. Ze heeft een vrolijke blouse aan, met allemaal kleurtjes. En ze is heel bruin. De kinderen herkennen hun juf bijna niet.

Juf Inge moet zelf ook goed kijken wie haar een hand geeft. Want er zijn nieuwe kinderen bij, die in de vakantie vier jaar zijn geworden: Friso, Melanie, Annabel en Kenneth. Sommige grote kleuters zijn erg veranderd. Quilfort is een heel eind gegroeid. Kim heeft haar haar afgeknipt. En Daan en Frank missen een voortand.
Maar wat is er met Lisa? De juf schrikt een beetje. De arm van Lisa hangt in een doek die om haar hals geknoopt zit.
'Gebroken arm!' roept Lisa trots en ze begint meteen te vertellen: 'Ik was bij opa en oma uit de boom gekukeld en toen zei mijn arm krak. Ik moest meteen naar het ziekenhuis. Eerst maakte de dokter een foto van mijn arm en toen kreeg ik er een papje op. En nu... TADADADAM!'
Lisa klopt met de knokkels van haar vingers op haar arm. 'Ik voel lekker niks.'
'Ook niet als ik je kriebel?' vraagt Daan.
'Dat kan niet. Gips is heel hard, hoor. Voel zelf maar.'
Lisa haalt haar arm uit de mitella en steekt hem naar voren.
Om de beurt mogen de kinderen even aan de witte arm van gips kriebelen, maar Lisa schiet niet in de lach.
Kim wil van alles weten over het ongeluk: of het pijn deed; of er ook bloed kwam; en of ze moest huilen; en of haar arm was afgebroken.
'Maar je hebt wel geluk,' zegt Frank als Lisa alle vragen heeft beantwoord, 'want een mug kan niet in jouw arm prikken. Moet je

mij zien.' Frank stroopt de mouw van zijn blouse op. Midden op zijn elleboog zit een grote bult.
Als ze de jeukbult hebben bewonderd, loopt Frank naar de gele tafel. Daan trekt hem weg. 'Wij hoeven niet meer aan die baby-tafel. We mogen aan de blauwe.'
Hand in hand huppelen ze door de klas. Ze zijn meteen weer vriendjes.
'Hallo allemaal!' Jasper, Karan en Marloes steken hun hoofd om de deur, maar ze komen niet binnen. Ze zeggen alleen even gedag voor ze naar de klas van juf Koosje gaan.
Iedereen wil naast Bibi zitten. Die hebben ze zo lang niet gezien. Behalve Patricia natuurlijk, want daar heeft hij al die tijd gelogeerd. Patricia vertelt dat ze naar het strand zijn geweest en naar het zwembad, maar dat Bibi niet in het water durfde.
Als ze in de kring zitten, steekt Kim haar vinger op. 'Ik vind uw blouse zo mooi, juf.'
'Die heb ik in Marokko gekocht,' vertelt juf Inge. 'Daar ben ik in de vakantie geweest. Ze verkopen er niet alleen

mooie blouses, maar het is ook een prachtig land. Ik heb op een ezel gereden. En het is er zo warm, dat veel winkeltjes buiten zijn. De kapper heeft zelfs mijn haar op een stoeltje voor de deur geknipt.' Juf Inge vertelt dat ze een heel fijne vakantie heeft gehad, maar dat ze toch blij is dat de school weer is begonnen. Ze miste de kinderen een beetje.
'Nu zijn wij de grote kleuters,' zegt Patricia trots, 'en mogen wij veters strikken.'
'En onze naam schrijven,' zegt Quilfort.
'En tellen,' zegt Mieke.
De juf knikt. 'Jullie gaan dit jaar heel veel leren. Maar er is iets dat eerst moet gebeuren, anders kunnen we niet lekker werken.'
De kinderen kijken juf Inge aan. Wat bedoelt ze nu?
Frank steekt zijn vinger op. 'Ik weet het al. We moeten

eerst met zijn allen een liedje zingen.'
Juf Inge schudt haar hoofd.
'We gaan eten.' Daan strijkt over zijn buik. 'Ik heb hartstikke honger.'
'Mis,' zegt juf Inge.
De kinderen halen hun schouders op. Ze weten het echt niet.
'Kijk maar eens goed in het rond,' zegt juf Inge. Nu zien de kinderen pas hoe ongezellig hun klas eruitziet. De ramen zijn kaal. En het touw waaraan de werkjes horen te hangen, is helemaal leeg.
'We gaan vlaggetjes maken,' zegt de juf. 'En die vlaggetjes niet ik aan elkaar en dan hang ik ze als een slinger door de klas.'
'Ik weet hoe de vlag van Nederland eruitziet,' zegt Quilfort. 'Rood met wit en blauw.'

'Ja,' zegt juf Inge. 'Wie van jullie heeft wel eens een andere vlag gezien?'
'Ik,' zegt Natasja. 'Ik heb wel eens een vlag met allemaal sterretjes en strepen gezien.'
'Dat is de vlag van Amerika,' vertelt de juf.
'En ik ken een geel met rode,' zegt Kim. 'Van onze gymnastiekclub.'
'Ik hoor het al,' zegt juf Inge. 'Jullie weten hoe een vlag eruitziet, met veel mooie kleuren. Jullie krijgen straks een papieren driehoek of een vierkant. En dat mogen jullie aan twee kanten beplakken, zodat de vlag kan wapperen. Niet de vlag van een land of een club, maar de vlag van de Grote Beer.'
'Hoe ziet die er dan uit?' vragen de kinderen.
Juf Inge trekt een geheimzinnig gezicht. 'Dat mogen jullie zelf bedenken.'
De kinderen zetten hun stoeltjes meteen op hun plaats, zo'n zin hebben ze.
Daan weet al wat hij doet. Hij gaat een vlag maken met sterretjes. Want als je in het donker naar de lucht kijkt, zie je de Grote Beer aan de hemel staan.
Kim wil een mama beer met kleintjes tekenen.
En Frank plakt allemaal kinderen die dansen omdat de Grote Beer weer open is.
Ze zitten al een poosje op hun stoeltjes en hebben nog steeds geen papier. Ze kijken juf Inge aan. Zo kunnen ze toch niet beginnen?
Juf Inge wijst naar haar tafel. 'Ik heb alles hier klaargelegd. Maar wie moeten dat ook alweer uitdelen?'
Ineens weten de kinderen het: de helpende handjes. Ze kijken gauw naar het bord.
Daan en Fhad springen op. Ze waren het helemaal ver-

geten. Maar dat snapt juf Inge ook wel. Iedereen moet nog een beetje wennen.

Wat zijn de vlaggetjes mooi geworden!
Juf Inge heeft de slinger opgehangen en de klas ziet er meteen veel gezelliger uit.
Tevreden kijkt ze omhoog. 'Hèhè, zo herken ik mijn klas tenminste weer. Maar er moet nog veel meer gebeuren.'

Juf Inge wijst naar de ramen en naar de grote tafel achter in de klas, waarop meestal de werkjes staan uitgestald. ‘Vandaag gaan we alles versieren.’
‘Dan moeten jullie mijn arm ook versieren,’ zegt Lisa. ‘Want daar staat nog niks op.’
Dat vindt juf Inge een goed idee. Ze geeft elk kind een viltstift waarmee ze iets op Lisa’s arm mogen tekenen.
‘Ik teken een zonnetje,’ zegt Kim. ‘Want daar word je vrolijk van.’
‘Ik een cadeautje,’ zegt Quilfort. ‘En daar zit iets heel geheimzinnigs in.’
‘Ik een hondje,’ zegt Frank. ‘Die likt je arm weer beter.’
Maar wat heeft Daan nu getekend? Mieke denkt dat het een spin is.
‘Zeker met die staart en die lange oren,’ lacht Lisa.
Ze proberen het allemaal te raden. Maar telkens roept Daan: ‘Mispoes!’ Zelfs juf Inge raadt het niet.
‘Het is een kukelgiechel,’ verklapt Daan. Nu moeten ze nog harder lachen. Wat is nu weer een kukelgiechel?
‘Ik weet niet wat het is,’ zegt Daan, ‘maar hij is om te lachen.’ En daar krijgt hij gelijk in. Als ze even later in de zandbak spelen, toont Lisa de kleuters van meester Hans haar arm. En iedereen die de kukelgiechel ziet, schiet in de lach.

Te laat

Kim zit bij papa achter op de fiets. Ze zingt hard, de hele weg. Dat komt doordat ze opgewonden is. Want papa rijdt niet naar school, maar naar Daan. Kim mag samen met Daan naar school lopen, zonder papa en zonder Francien. Daan woont niet zo ver van school als Kim, en hij hoeft geen drukke verkeersweg over te steken.
Eindelijk stopt papa voor het huis van Daan. Kim geeft papa wel tien kusjes. Dan loopt ze achterstevoren het tuinpad op, zodat ze papa nog ziet. Ze zwaait net zolang tot papa de hoek om is. Dan draait ze zich om. De deur zwaait al open.
'Dag meneer de Koekepeer,' zegt Kim.
'Dag mevrouw de Koekepauw,' lacht Daan.
Voor Kim uit holt Daan de kamer in. Hij botst eerst bijna tegen Francien op en daarna tegen de tafel.
Francien schudt haar hoofd. 'Als dat maar goed gaat.' Ze geeft Daan een kus.
'Toedeloe, Koentje Meloentje!' roept Daan naar de box. 'Wij mogen helemaal zelf naar school.'
Francien tilt het kleintje uit de box. 'Wij gaan die twee grote kinderen uitzwaaien.' Met Koen op haar arm loopt ze naar de deur. 'Dag Kim, dag Daan, zullen jullie voorzichtig zijn?'
Kim pakt Daans hand en daar gaan ze.
Met zijn tweetjes lopen ze de straat uit. Af en toe draai-

en ze zich om en zwaaien naar Koen en Francien.
'Nu wordt het pas echt,' zegt Daan als ze de hoek om zijn. 'Nu kan Francien ons niet meer zien.' En hij pakt Kims hand en begint meteen te hollen.
'Niet rennen,' zegt Kim. 'Straks vallen we.'
'Nou en?' zegt Daan stoer. 'Ik hoef toch niet te huilen.'
'Maar als je rent, ben je zo bij school,' zegt Kim.
Dat helpt. Daan gaat meteen langzamer lopen.
Na een poosje kijken ze om. Wat zijn ze al een eind van de hoek af! Van spanning knijpt Kim in Daans hand.
TINGELINGELING... klinkt het naast hen. Achter op de

fiets zit Lisa. Haar arm is gelukkig weer beter. Daan en Kim rennen naar de stoeprand. 'Wij mogen lekker alleen naar school.'
'Dat wil ik ook!' zegt Lisa. 'Ik wil ook alleen naar school.'
Haar moeder kijkt Lisa aan. 'Blijf je wel op de stoep?'
'Ik ga nooit van de stoep af,' zegt Lisa. 'Nooit van mijn leven.'
'Beloofd?' Mama zet een vinger onder Lisa's kin. Als Lisa knikt, tilt ze haar van de fiets. 'Nou, vooruit dan maar.'
Nu lopen ze met zijn drietjes naar school. Maar dat duurt niet lang, want de moeder van Frank en de grote broer van Quilfort komen ook aangefietst. Quilfort hoeft maar even te zeuren of hij mag ook alleen naar school. Maar de moeder van Frank vindt het maar niks.
'Ach, mag het?' vraagt Kim. 'Ik pas wel op Frank.' En ze steekt haar hand uit.
'Nou, vooruit dan maar. Maar wel bij elkaar blijven. Geef Kim maar een hand, Frank.'
Zodra de moeder van Frank wegrijdt, gaan Quilfort, Daan en Lisa rennen. Maar Kim laat Frank niet los. Een keertje maar, heel even, als ze een gekleurd steentje moet oprapen.
'Ik ben nog lang niet moe,' zegt Quilfort als ze bijna bij school zijn.
'Ik ook niet,' zegt Frank.
'Ik word nooit moe,' zegt Lisa. 'Ik kan helemaal naar de andere kant van de stad lopen en dan ben ik nog niet moe.'
'Ik naar de andere kant van de wereld,' zegt Daan.
'Niet als je net zo'n zware rugtas hebt als ik,' zucht Kim.

Meteen blijft Daan staan. 'Mijn rugtas... ik ben mijn rugtas vergeten!'
'Nou en?' zegt Kim. 'Dan krijg je wel een slokje roosvicee van mij.'
Daan staart beteuterd voor zich uit. 'Er zat net zo'n lekkere krentenbol in.'
'Hmmm... krentenbol is mijn lievelingseten.' Lisa vindt dat Daan zijn rugtas moet halen.
'Dan moet Kim ook mee,' zegt Daan. 'Want wij gingen samen naar school.'
'Maar ik moet op Frank passen,' zegt Kim. 'Dus Frank moet ook mee.'
'En wij mogen niet alleen naar school,' zegt Quilfort, 'dus...'
Ze keren om en lopen terug. Ze bedenken niet dat het al vijf voor half negen is en dat de Grote Beer zo gaat beginnen.

Als de bel is gegaan, kijkt juf Inge verbaasd de klas in. 'Hoe kan dat nu? Wat zitten er maar weinig kinderen aan de blauwe tafel? Er zullen er toch niet vijf tegelijk ziek zijn?'
'Het kan best,' zegt Mieke. 'Bijna iedereen heeft de waterpokken. Mijn zusje en mijn buurmeisje. En Annabel en Friso hebben het ook al.'
'Dat is nu jammer,' zegt juf Inge. 'Ik wil jullie juist zo'n leuk liedje laten horen.' En ze pakt haar gitaar.
Juf Inge heeft het liedje helemaal uitgezongen als het groepje het schoolplein opkomt. Gelukkig hoeven ze niet aan te bellen, de voordeur staat nog open. Maar als ze hun jas ophangen, zien ze dat de deur van de klas dicht is. Een beetje beduusd kijken ze elkaar aan. Frank

durft niet naar binnen. Hij is bang dat de juf boos is en moet bijna huilen. Maar Daan heeft een idee. 'Ik was Zwarte Piet. Ik bonkte op de deur.'
'Ja,' zegt Lisa, 'en dan gaan wij ons verstoppen.'
'Maar je mag niet te hard bonken,' zegt Kim. 'Dan schrikken die ukkepukkies, dat vind ik zielig.'
Daan houdt zijn vuist bij de deur. Eén, twee... BOEM BOEM BOEM. Bij de derde boem vliegen ze naar de kapstok en verstoppen zich achter hun jas.
'Hé,' zegt juf Inge als ze de klasdeur opendoet, 'ik dacht toch echt dat ik hoorde kloppen. Nou ja, ik heb het zeker gedroomd.' En ze trekt de deur weer dicht.
Grinnikend komen de vijf te voorschijn.
'Nog een keer,' zegt Lisa.
Opnieuw bonkt Daan op de deur en... weg zijn ze weer.

Een paar tellen later gaat de deur open.
'Weer niemand,' horen ze juf Inge zeggen. 'Maar ik zie wel iets raars. Aan de kapstok hangen vijf jassen met benen eronderuit...' Even blijft het stil en dan zegt juf Inge: 'Het wordt steeds raarder, de voeten die aan de benen vastzitten trappelen. En ik hoor jassen lachen... Ik ben vast ziek. Ik weet het al, ik heb waterpokken, net als mijn grote kleuters van de blauwe tafel.'
Op dat moment springen de kinderen te voorschijn.
'Mispoes... we hebben geen waterpokken. We waren te laat!'
Als ze in de kring zitten, mag Daan vertellen wat er precies is gebeurd.

Juf Inge is er stil van. Ze moet er even aan wennen dat haar kleuters al zo groot zijn dat ze helemaal zelf naar school komen. Ze pakt haar gitaar en zingt dan speciaal voor de blauwe tafel het nieuwe liedje. Jammer genoeg kunnen ze niet goed verstaan wat hun juf zingt, want Kenneth moet steeds hoesten.
'Drink maar een slokje water.' Juf Inge kijkt Kenneth aan, maar die blijft zitten.
'Ik wil geen water,' zegt hij. 'Dan krijg ik ook de waterpokken.'
De grote kleuters schieten in de lach.
'Ik neem lekker een slokje melk,' lacht Daan. 'Dan krijg ik de melkpokken.'
'Hahaha...' schatert Lisa. 'Geef mij maar chocomel. Chocopokken zijn veel lekkerder.'
Juf Inge wil Kenneth uitleggen waarom de kinderen lachen, maar ze kan zichzelf nauwelijks verstaan. De blauwe tafel maakt zo'n lawaai: Kim heeft de roosviceepokken, Quilfort de karnemelkpokken en Frank de sinaspokken.
'Nu houden mijn grote kleuters zich een beetje rustig,' zegt juf Inge streng, 'want ik ga straks iets heel spannends met jullie doen.'

Meteen zijn ze stil.
'Wat dan, juf?' vraagt Daan.
'Kinderen die alleen naar school kunnen komen, moeten ook hun naam kunnen schrijven,' zegt de juf.
'Hoera!' juichen ze. 'We gaan onze naam schrijven.'
Kim haalt een prachtig paars potlood met gouden sterretjes uit haar laatje. Het is nog helemaal nieuw. Ze heeft het al die tijd bewaard om haar naam mee te schrijven en nu kan ze het gebruiken.
'Kijk eens!' Quilfort houdt een papier omhoog.
Niemand kan lezen wat er staat, alleen de juf. 'Quilfort,' leest ze.
'Knap, hè? Ik weet ook hoe al mijn letters heten.' En hij noemt ze een voor een op.
'Wie heeft je dat geleerd?' vraagt juf Inge.
'Dat heeft hij zelf uitgevonden,' zegt Kim. 'Hij wordt toch zeker uitvinder.'
Quilfort weet wel beter. Hij heeft het geleerd van een oud dametje dat elke avond in het eethuis komt. Maar hij zegt lekker niks. Laat ze maar denken dat hij het zelf heeft uitgevonden, dat is veel leuker.

Juf is jarig

Vandaag is juf Inge jarig. De kinderen hebben een verrassing voor haar. Als de juf voorleest en het wordt griezelig, gaat haar gezicht altijd glimmen. 'Hmmm...' zegt ze dan. 'Wat is dit lekker eng.' En ze wrijft erbij in haar handen. Daarom hebben ze voor haar verjaardag iets engs bedacht.
De klas ziet er griezelig uit. Voor de deur hangt een fopspin aan een dun draadje en de gordijnen zijn dicht. Toch is het niet helemaal donker. De papa van Kim heeft hier en daar lichtjes verstopt. Aan het plafond hangen slingers. Geen gewone, maar enge slingers van doodskoppen en vleermuizen en spinnen en pierlala's.
Eindelijk gaat de bel. Van spanning moeten de spookjes een beetje giechelen.
'Ssst...' fluistert de mama van Frank.
Nu horen de spookjes het ook. In de gang klinken voetstappen. Als de deur opengaat, houden ze zich muisstil.
'Wat is het hier lekker donker,' horen ze hun juf zeggen.
En als ze de fopspin ziet, klapt ze verrast in haar handen.
'Wat leuk dat je op mijn verjaardag bent gekomen.'
Zie je wel dat ze het fijn vindt, denken de kinderen.
Maar ze hebben nog meer bedacht. Als de juf op haar stoel wil gaan zitten, kriebelt er een heel dikke spin tegen haar benen.
'Hmmm... nog zo'n griezeltje. Hartelijk gefeliciteerd

met je juf.' Ze pakt de fopspin en geeft hem een zoen. Dan kijkt ze de klas rond. 'Wat ziet het er hier spannend uit! Ik hoop dat er iets reuze engs gaat gebeuren.'
Nu komen de spookjes heel langzaam omhoog.
'Hoeihoeihoei...' zingen ze zachtjes. Terwijl ze in een kring om de juf heen fladderen, zingen ze hun spokenlied.
'Wij zijn de spookjes van de Grote Beer.
Wij willen spoken en nog veel meer.

Heel Spokenland staat op zijn kop.
Vandaag is juf de jarige job.
En weet je wat de spookjes doen?
Die geven juf een spokenzoen.'
Ze stormen op de juf af en geven haar een dikke zoen.
Juf Inge wordt bedolven onder de spoken. 'Wat een lieve spookjes zijn jullie,' zegt ze.
'We worden nog veel liever,' zegt spookje Lisa. 'Want we hebben een cadeau voor je, juf.'

'Ja,' zeggen de andere spoken. 'Maar dan moet je eerst je ogen dichtdoen.'
'Kijk maar!' roepen ze na een poosje.
Als de juf haar ogen opendoet, ligt er een cadeau op haar tafel.
'Wat zou dat zijn?' Voorzichtig scheurt de juf het papier eraf.
'O, wat een prachtige vaas!' zegt ze blij.
'Hij is wel een beetje leeg, hè juf,' zegt Kim.
'Heel leeg,' zegt Duko. 'Dat is niet feestelijk.'
De juf knikt. 'Hij is wel leeg, maar ja, daar is niks aan te doen.'
'Spookjes kunnen toveren,' zegt Quilfort. 'Wil je soms dat we de vaas vol bloemen toveren?'
'Dat zou ik wel heel fijn vinden,' zegt de juf.
De spoken beginnen te roepen: 'Hokus pokus pilatus pas... ik wou dat de vaas vol was!' En... elk spookje tovert een bloem onder zijn spokenpak uit. Ze lopen om de beurt naar de vaas en zetten hun bloem erin.
'Wat een prachtig boeket!' roept de juf verrast. 'Jullie hebben mij wel erg verwend. Ik denk dat het nu tijd wordt dat jullie iets lekkers krijgen.'
'Eerst moeten we zingen!' roepen de spookjes.
Als de juf midden in de kring staat, draaien de kinderen luid zingend om haar heen: 'Lang zal juffie leven... lang zal juffie leven in de gloria...' Na het derde hoeraatje, wijst juf Inge twee helpende handjes aan.
'Het zijn geen helpende handjes,' zegt Lisa. 'Maar helpende spookjes.'
Juf Inge fluistert de helpende spookjes iets in het oor. Die gaan de klas uit en komen een paar minuten later terug met een feesttaart.

'Ik weet niet of spookjes taart lusten,' zegt de juf.
'Jaaa! Juist heerlijk!' roepen ze. Ze krijgen allemaal een stuk taart en een bekertje limonade.
Zodra de taart op is, steekt Daan zijn vinger op.
'Ikke en Lisa en Quilfort hebben nog een toneelstukje voor je, juf.'
'Wat een feestdag,' zegt juf Inge. Ze zet de kinderen naast elkaar op de grond, zodat ze het allemaal goed kunnen zien.
Quilfort heeft zijn spokenpak uitgetrokken. Hij ligt te slapen. Ineens klimt spookje Lisa door het raam.
'Koekoek!' roept ze in zijn oor.
Quilfort doet zijn ogen open en... 'Help, een spook! Papa!'
Het spookje verstopt zich vlug onder de tafel.
Papa Daan stapt uit bed. 'Wat is er, kind?' vraagt hij slaperig.
'Er zit een spook in de kamer,' bibbert Quilfort.
'Een spook?' Papa Daan begint heel hard te lachen.
'Spoken bestaan niet. Je moet slapen.' En papa kruipt weer in bed en snurkt verder.
Als papa slaapt, komt het spookje weer te voorschijn.
'Papa... help! Het spook is er weer!' gilt Quilfort.
Papa stapt uit bed. 'Is het nu afgelopen,' zegt hij boos.
'Als je nog één keer gilt, hang ik je met bed en al in de boom. Slappe krentenbol!' En hij gaat weer in bed liggen snurken.
Opnieuw komt het spookje te voorschijn. Ze zwaait naar Quilfort. Quilfort durft niet te gillen. Spoken vindt hij eng, maar met zijn bed in de boom lijkt hem nog enger.
Het spookje springt op bed en trekt zachtjes aan zijn

neus. 'Je hoeft niet bang te zijn, hoor. Ik ben een lief spookje.'
'Echt waar?' vraagt Quilfort.
'Kijk maar.' Het spookje geeft Quilfort een zoentje.
'Zullen we spelen?' vraagt ze dan.
'Nee,' zegt Quilfort verdrietig. 'Papa zegt dat ik een slappe krentenbol ben.'
Het spookje begint te grinniken. 'Let op.' Ze fladdert naar papa's bed. 'Hoeihoeihoei...' zingt ze in zijn oor.
Papa schrikt wakker en... 'Help, een spook!' Hij springt uit bed en kruipt gillend in de kast.
'Papa, waar zit je?' vraagt Quilfort.
'I-i-ik b-b-ben z-z-zo b-b-bang...' bibbert papa.
'Waarvoor dan?' vraagt Quilfort.

'Voor dat spook!' jammert papa.
'Slappe krentenbol,' zegt Quilfort. 'Ik jaag het spook wel weg. Spook, kom mee. Je mag papa niet bang maken. Straks plast hij nog in zijn broek.' En Quilfort haalt het spookje bij papa vandaan.
Papa gluurt door een kier van de deur. 'Is hij weg?'
'Ja,' zegt Quilfort.
'Echt waar?' bibbert papa.
'Ja,' zegt Quilfort.
'Bedankt, stoere jongen van me,' zegt papa en hij stapt in bed en gaat weer snurken.
'Zullen we spelen?' vraagt het spookje.
'Ja, nu wil ik wel,' zegt Quilfort. En samen met het spookje danst hij door de kamer.
'Goed toneelstuk, hè?' zegt Lisa. 'Jullie moeten allemaal klappen.' En ze buigt.
'Wat een grappig toneelstuk,' zegt de juf. 'Ik denk dat we nu de spokendans moeten doen.' En ze zet de cassetterecorder aan. De spookjes fladderen in het rond en maken er enge geluiden bij. Als ze allemaal moe zijn, krijgen ze nog een heerlijk ijsje van de juf en daarna een trekdrop. De rest van de dag spelen ze spokenspelletjes. Juf Inge vindt het een heel fijne spokenverjaardag. En dat vinden de spookjes ook.

De schooldokter

De kinderen van juf Inge weten het al drie dagen, maar vandaag is het zo ver: de schooldokter komt op school. Daan, Kim en Frank hangen hun jas aan de kapstok en glippen door de klapdeuren naar het kamertje van de juffen en de meesters. Want juf Inge heeft verteld dat dat vandaag de spreekkamer van de schooldokter is.
Als het drietal bij het kamertje komt, zien ze dat Lisa en Quilfort door het sleutelgat gluren.
'Wat zie je?' vraagt Kim.
'Hij heeft een witte jas aan,' fluistert Lisa. 'En ik zie ook een zuster.'
'Ik zie een heel spannende machine,' zegt Quilfort. 'Met allemaal draden.'
'Laat zien!'
Quilfort doet een stap opzij. Op dat moment gaat de deur van het kamertje open. Ze kijken in het vrolijke gezicht van de verpleegster.
'Willen jullie zo graag naar binnen? Dan moet je nog even geduld hebben. De dokter is nog niet klaar. Straks kom ik jullie halen.'
'Maar we krijgen geen prik,' zegt Frank gauw. 'Dat heeft juf Inge zelf beloofd.'
'Nee hoor,' stelt de verpleegster hem gerust. 'Wij verkopen geen prikken. Alleen kriebeltjes.' En ze kriebelt Frank in zijn nek. 'Ga maar gauw naar je klas.'

De andere kinderen zijn ook al zo opgewonden. Friso moet steeds huilen omdat hij het eng vindt.
'Er is niks engs aan,' zegt juf Inge. 'De mama van Frank blijft bij je. Die is vandaag de hulp-zuster.'
Wat de juf ook zegt, het helpt niet. Lisa en Daan plagen hem een beetje. 'Het is een heel enge dokter,' zegt Lisa. 'Die bakt kleine jongetjes.'
'En de zuster is nog enger,' zegt Daan. 'Die eet ze op.'
'Durven jullie wel tegen zo'n kleintje.' Kim trekt Friso op schoot. 'De dokter en de zuster zijn juist heel lief. Ik heb ze zelf gezien.' Maar Friso blijft huilen. Pas als juf Inge belooft met hem mee te gaan, wordt hij weer rustig.
Juf Inge leest de kinderen een verhaal voor, maar ze luisteren maar met een half oor. Telkens kijken ze naar de deur of de zuster er al aankomt. Eindelijk, als het verhaal allang uit is en ze drie liedjes hebben gezongen, gaat de deur open.
De zuster neemt de kinderen van de blauwe tafel mee. Quilfort mag als eerste naar binnen. De anderen moeten op het rijtje stoeltjes gaan zitten dat in de gang staat.
Quilfort vindt het helemaal niet eng bij de schooldokter. De zuster zet een wit plastic brilletje op zijn neus, met één glas erin waar je niks door ziet. Hij kan alleen met zijn rechteroog kijken. Dat lukt best. Aan de muur hangt een soort lichtbak met allemaal plaatjes.
Bovenaan ziet hij een heel grote boom. En dan worden de plaatjes steeds kleiner. Hij ziet een poes en een vlag en een huis. Het onderste plaatje is te klein, dat kan hij niet zien. Nu moet hij met het andere oog kijken. De zuster zegt dat Quilforts ogen goed werken. 'Alleen nog even je oren testen.' Ze zet een soort koptelefoon op Quilforts hoofd. Die koptelefoon ziet er precies zo uit als juf Inge

heeft verteld. Hij heeft een rode en een blauwe kant. Maar er komt geen muziek uit. Quilfort hoort telkens piepjes en moet dan zeggen aan welke kant hij het piepje hoort. Hij wil weten hoe de piepjesmachine werkt en vraagt van alles aan de dokter. En die legt het hem rustig uit.

'Het is hartstikke leuk,' zegt Quilfort als hij de gang opkomt. En dan mag Daan naar binnen.

'En?' vraagt juf Inge als Quilfort de klas instapt, 'zat je linkeroor aan de rechterkant en je neus in het midden?'

Quilfort moet lachen en pakt een werkje uit de kast.

Als Daan terugkomt, heeft hij een brief in zijn hand.

'Voor de oogarts,' zegt hij trots.

'Stop hem maar meteen in je tas, Daan,' zegt juf Inge. 'Dan vindt mama hem wel.'

'Vorig jaar had ik ook zo'n brief,' zegt Mieke. 'En toen moest ik een bril.'
'Ik heb al een bril,' zegt Daan. 'Een zonnebril.'
'Die is voor de zon,' zegt juf Inge. 'Een gewone bril helpt je bij het kijken. Maar het is niet zeker dat de oogarts vindt dat jij een bril moet. Eerst gaat hij je ogen onderzoeken.'
Als alle kinderen en Bibi bij de schooldokter zijn geweest, mogen ze een sticker uitzoeken. Juf Inge vindt dat ze zo flink zijn geweest, zelfs Friso heeft niet gehuild. Als beloning mogen ze kiezen wat ze willen doen.
'Ik weet al wat,' zegt Lisa. 'We doen schooldoktertje. Ik was de dokter.' En ze rent al naar de verkleedkist. 'Frank is de zuster. En Quilfort en Daan en Kim zijn kind.'
'Ik was geen kind,' zegt Quilfort. 'Ik had die piepjesmachine uitgevonden. Als hij stuk was moest je mij bellen, en dan kwam ik hem maken.'
'En ik kon niet goed zien,' zegt Daan. 'Ik moest een bril, goed?'
TINGELINGELINGGG... 'Allemaal naar binnen met je ogen en je oren, de schooldokter begint!' roept dokter Lisa.
'Jij mag eerst,' zegt zuster Frank tegen Daan. 'Ga maar op de stoel zitten.'
'Waar?' Daan tuurt in het rond. 'Ik zie geen stoel.'
Dokter Lisa schudt haar hoofd. 'Nou nou, Daan, je hebt wel erg slechte ogen. Zuster, tilt u Daantje maar op de stoel.'
Als Daan zit, krijgt hij een brilletje op zijn neus.
Dokter Lisa houdt een potlood omhoog. 'Wat is dit, Daan?'
Daan knijpt zijn ogen tot spleetjes. 'Een hamer.'

'Fout!' roept de dokter. Ze laat Daan een boek zien.
'Wat is dit?'
'Een boterham met stroop,' antwoordt Daan.
De dokter zucht. 'Hier word ik ook nog eens gek van. Die jongen mag wel tien brillen over elkaar opzetten, zuster.'
Dan tilt de dokter een stoel op. 'Zie je wat dit is, Daan?'
'Ja, een brandweerauto,' zegt Daan.
De kinderen schieten in de lach. 'Nu komt het makkelijkste van de wereld,' zegt dokter Lisa. 'Als je dit niet kan zien... Let op!' Ze tilt zuster Frank op. 'Nou, wat is dit?'
'Help, ik val!' roept de zuster.
'Hou je spartelbeentjes dan stil,' zegt de dokter. Nu moet ze zelf ook lachen. Van de lach kukelt ze om en... daar liggen de dokter en de zuster, op de grond.

‘Au, mijn hoofd!’ kreunt de zuster.
Dokter Lisa onderzoekt het hoofd. ‘Er zit een gat in, ik repareer het wel even.’ En ze pakt de gereedschapskist en haalt er een hamer en een spijker uit.
‘Nee!’ gilt zuster Frank verschrikt. ‘Dat hoeft niet. Het is allang over!’
‘Nu mag ik,’ zegt Kim. En ze zit al op de stoel.
‘Goed,’ zegt de dokter. ‘Eens even kijken of je neus wel goed kan ruiken.’
Terwijl zuster Frank Kim een blinddoek omdoet, rent dokter Lisa naar de gang. Ze haalt een boterham met pindakaas uit haar rugtas en houdt hem onder Kims neus.
‘Wat ruik je?’
‘Gebakken fietsbel,’ zegt Kim.
‘Niks fietsbel,’ zegt de dokter. ‘Heerlijke pindakaas zal je bedoelen.
‘Je laatste kans.’ Nu houdt zuster Frank een boterham met kaas onder Kims neus.
‘Nou, wat ruik je?’
‘Blèèèè...’ Kim knijpt haar neus dicht. ‘Ik ruik gekookte spokentanden.’
‘Spokentanden!’ roept de dokter verontwaardigd uit. Ze doet de blinddoek af. ‘Je neus moet eraf. Zuster, haal de zaag. Dat meisje krijgt een nieuwe neus.’
‘Nee!’ Kim verbergt haar neus in haar handen. ‘Ik wil geen nieuwe neus.’
‘Er is ook geen tijd meer voor een nieuwe neus, dokter,’ zegt juf Inge. ‘We gaan opruimen.’
‘Nog piepie even,’ zegt Quilfort. ‘Ik moest nog een neus-afhaalmachine uitvinden.’
‘Als het niet te lang duurt,’ zegt de juf.

Uitvinder Quilfort heeft de machine zo klaar en zet hem in de spreekkamer van de dokter. ‘Hier is de rekening. Ik krijg honderdduizendmiljoen gulden van u.’ En hij houdt zijn hand op.
‘Bedrieger!’ roept dokter Lisa. ‘Dat is veel te veel. Voor straf krijg je niks. Ophoepelen jij, anders zaag ik je eigen neus eraf.’ En ze duwt uitvinder Quilfort de spreekkamer uit.

Kerstfeest

Zodra je het schoolplein van de Grote Beer op komt lopen, zie je het meteen: het is bijna Kerstmis. Alle ramen zijn versierd met plakwerkjes van kerstbomen, kaarsjes en kerststerren. Die hebben de kinderen zelf van gekleurd papier gemaakt.
En als je over de drempel stapt, ruik je meteen een heerlijke dennengeur.

Dat komt van de kerstboom die midden in de hal staat. Elke dag blijven de kleuters vol bewondering staan kijken.
'Klein kerstboompje, zeg,' lacht Daan.
'Wat je klein noemt,' zegt Lisa. 'Zie je wel dat je een bril moet.'
'Mispoes,' zegt Daan. 'Ik hoef lekker geen bril, dat heeft de oogarts zelf gezegd.'
'De reus van Klein Duimpje heeft ook zo'n grote kerstboom,' zegt Lisa.
Daan knikt. 'En de zeven dwergen van Sneeuwwitje hebben vast een piepkleintje.'
'Als ik groot ben koop ik ook zo'n grote kerstboom,' zegt Quilfort.
'Dat kan nog geeneens,' zegt Frank. 'Die past nooit in je huis. Dan moet je een gat in het dak zagen.'
'Nee hoor,' zegt Quilfort. 'Dat hoeft niet. Ik word toch uitvinder en dan vind ik gewoon een heel hoog huis uit, helemaal tot de zon.'
En ze huppelen naar de klas. Het wordt vandaag heel spannend, want vanavond vieren ze kerstfeest op school. De kinderen weten niet precies wat er gaat gebeuren. Dat is nog een verrassing. Juf Inge heeft alleen verteld dat ze een diep bord en een lepel van huis moeten meenemen, omdat ze op school gaan eten.
Als ze in de kring zitten, steekt Friso zijn vinger op.
'Onze poes was heel stout. Weet je wat die heeft gedaan? Die is in de kerstboom gesprongen. En nu is er een bal kapot. En de kersthengel lag op de grond.'
'De kersthengel... hahaha...' De grote kleuters moeten lachen. 'De kerstengel zal je bedoelen...'
'Was de kerstengel nog heel?' vraagt de juf.

Friso knikt. 'Maar het was wel heel stout van poes.'
'Oscar was nog veel stouter,' zegt Frank. 'Die snuffelde aan de kerstboom en toen tilde hij zijn poot op en deed een plas.'
Nu moeten de kinderen nog harder lachen.
'Een plas tegen de kerstboom...' hikt Lisa.
Juf Inge klapt in haar handen. Ze moeten aan het werk. Er is nog een heleboel te doen. Voor in de klas staat een grote bak met warme zachte was. Boven de bak hangen houtjes en aan elk houtje hangt een kaars aan een spijkertje. Eerst waren de kaarsen nog touwtjes. Elke morgen mochten de kinderen hun lontje in de was dompelen. En dan bleef er een beetje was aan kleven. Zo werd hun kaars telkens dikker. Vandaag gaan ze voor de allerlaatste keer dompelen en dan is hun kaars klaar.
'Vanavond weten we pas of ze echt branden,' zegt Kim en ze hangt haar kaars aan het spijkertje.
Juf Inge knikt. 'Bij het kerstdiner steken we ze aan. Maar kunnen kaarsjes uit zichzelf blijven staan?' vraagt ze aan de kinderen.
'Nee,' zegt Mieke, 'die moeten in een kandelaartje.'
'Juist,' zegt juf Inge. 'En die kandelaartjes gaan we nu maken.' Ze snijdt een paar aardappels doormidden. Om de beurt mogen de kinderen zeggen welke vorm hun kandelaar moet hebben. De meesten kiezen een sterretje, omdat ze dat echt bij kerst vinden passen. Maar er zijn ook kinderen die een rondje mooier vinden of een hartje. En dat mag natuurlijk ook.
Als de juf de vormpjes heeft uitgesneden en het gaatje voor de kaars heeft gemaakt, zijn de kandelaars nog niet af. Ze krijgen nog een jasje aan van zilverpapier en dat moeten de kinderen zelf doen. De helpende handjes

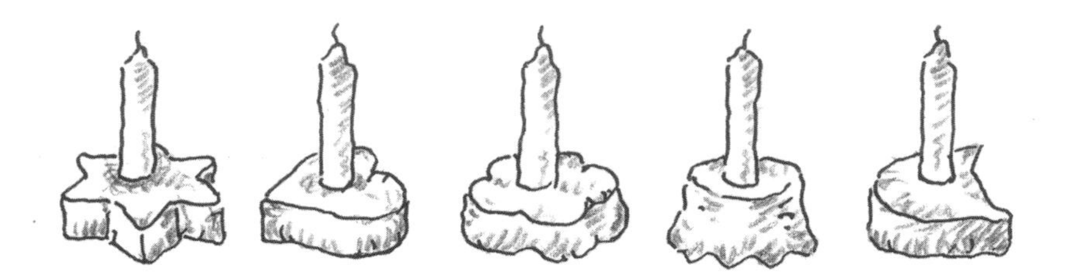

mogen op elke tafel een stukje zilverpapier leggen.
De groep van juf Inge moet vandaag wel erg hard werken. Als ze klaar zijn met de kandelaars, moeten ze ook nog kleedjes van rood papier knippen. Toch mopperen ze niet. De juf heeft een bandje opgezet met kerstliedjes, en terwijl ze bezig zijn, zingen ze zachtjes mee.

Eindelijk is het zover. In het donker, dicht tegen hun vader of moeder of oppas aan, lopen de kinderen het schoolplein op. Door de donkere ramen kun je de lichtjes van de kerstbomen zien branden. Als ze de school in gaan, knijpen ze in hun ouders hand. Het is ook zo spannend. Grote kaarsen en de lampjes van de kerstboom verlichten de hal.
Zonder te rennen of te schreeuwen gaan de kinderen naar hun klas. Juf Inge staat in de deuropening. Ze heeft een prachtige lange zwarte jurk aan. De kinderen zien er ook al zo deftig uit. Kim heeft een echte kerstjurk aan, donkerrood, en in haar haar zit een gouden ster. En Quilfort heeft een pak aan met een zilveren strikje.
In de klas zijn de gordijnen dicht. Aan elke tafel zit een vader of moeder die hun zelfgemaakte kaarsen aansteekt. Wat ruiken die lekker! En ze branden prachtig. Eerst vertelt juf Inge een kerstverhaal en daarna krijgen de kinderen soep.
Ineens begint Lisa te lachen. Ze heeft per ongeluk een

vork meegenomen in plaats van een lepel.
'Nieuwste mode om soep te eten, jongens. Let op!' Lisa probeert de soep met haar vork te eten, maar dat lukt natuurlijk niet. De soep vliegt in het rond. Frank hapt lachend in de lucht om de spetters op te vangen. Gelukkig heeft een van de moeders een extra lepel bij zich.
Als de soep op is, zet de juf op elke tafel een schaal verse broodjes en krentenbollen. Ze krijgen er warme chocolademelk bij. Je kunt wel zien dat de kinderen trek hebben. Quilfort heeft al drie broodjes op. En Daan vier.
'Nu komt de verrassing, hè juf?' vraagt Daan als ze klaar zijn met eten. Hij kijkt de klas rond. Waar is hun juf eigenlijk. Ze vragen het aan de vaders en moeders. Maar die halen met een geheimzinnig gezicht hun schouders op.

‘Wij weten niet waar de juf is,’ zegt de moeder van Frank. ‘Maar het feest is nog niet afgelopen.’ De ouders nemen de kinderen mee naar boven.
Is dat de aula? De kleuters herkennen de ruimte helemaal niet. De gordijnen zijn dicht. Aan de muren hangen prachtig versierde takken en de tafels langs de wanden staan vol kaarsen.
Juf Judith van groep vijf zit achter de piano. Ze speelt Stille nacht heilige nacht en alle kinderen zingen mee. Daarna stapt meester Dik het toneel op. Hij vertelt de kinderen dat ze een kerstverhaal te zien krijgen, het verhaal van Jozef en Maria en het kindje Jezus. De kinderen kijken ongeduldig de aula rond. Waar blijft juf Inge nu?

Zo meteen begint het kerstspel en dan ziet ze het niet!
Een paar tellen later wandelen Jozef en Maria het toneel op. 'Ik kan niet meer,' zucht Maria. 'Ik ben zo moe!'
'We moeten ergens overnachten,' zegt Jozef bezorgd. Nu herkennen de kinderen de stem van juf Inge en van meester Hans. Ze wisten niet dat hun juf zo knap toneel kon spelen. Ze vergeten onmiddellijk dat het hun juf is en hebben medelijden met Maria die bijna een kindje moet krijgen en nergens een slaapplaats kan vinden.
Gelukkig laat herbergier meester Tom hen in de stal.
Niet alleen juf Inge, meester Hans en meester Tom maar bijna alle juffen en meesters van de Grote Beer spelen mee. In de os herkennen ze juf Koosje. En de kinderen

van groep acht maken grapjes over meester Karel die voor ezel speelt. Maar dat merken de kleintjes niet. Met ingehouden adem zien ze dat 's nachts het kindje Jezus wordt geboren. Heel even is het pauze. En dan begint het tweede gedeelte. Als het doek opengaat, liggen er allemaal herders te slapen. Juf Judith speelt de eerste tonen en dan zingt de hele school: De herdertjes lagen bij nachte. Als de kerstengel de herders komt vertellen dat het kindje Jezus is geboren, springen ze onmiddellijk op. En dan is het feest. Ook voor de kinderen, want die krijgen allemaal een kerstkransje. Als iedereen het baby'tje heeft bewonderd, is het kerstspel afgelopen.
'Ik vond Maria het mooist,' zegt Kim, als ze voor de juffen en de meesters hebben geklapt. 'Want dat was onze eigen juf.'
'Ik ook, ik ook,' zeggen de anderen.
'Ik lekker niet,' lacht Lisa.
'Wie vond jij dan het mooist?' vraagt Daan.
'De kersthengel,' zegt Lisa. En dan moeten ze allemaal lachen.
Zodra de deur van de aula opengaat, stormen ze op hun ouders af.
'Prettige kerstvakantie!' roept juf Inge hen nog na, maar dat horen de kinderen al niet meer. Die moeten hun vaders en moeders over het kerstfeest vertellen.

Sneeuw

Vandaag moet de papa van Kim weg. Daarom brengt hij Kim wat vroeger naar Daan. Kim vindt het helemaal niet erg. Nu kan ze voor ze naar school gaat nog een poosje buiten spelen met Daan. Lekker leuk, want er ligt een dik pak sneeuw.
Wat gek, denkt Kim als ze het tuinhek openduwt, anders staat Daan altijd voor het raam.
'Daan banaan!' roept Kim door de brievenbus. 'Slaap je soms nog?'
Francien doet de deur open. 'Daan is in de tuin.'
Kim loopt om het huis heen. KRAK-KRAK-KRAK, klinkt het onder haar laarzen. Kim loopt verder de tuin in en... BAF! Ze voelt iets kouds in haar nek. Brrr... Kim grijpt in haar nek. Het is een sneeuwbal. Die is vast van Daan. Wacht maar, denkt Kim, ik krijg jou wel. Ze ziet voetafdrukken in de sneeuw. Die zijn van Daan. Kim volgt het spoor. Als ze bij de schuur komt, gluurt ze om het hoekje. Ja hoor, daar staat Daan. Kim raapt vlug een hand sneeuw op en springt naar voren. 'Boe!'
Daan schrikt niet. 'Goeie sneeuwbal was dat, hè?' zegt hij trots. 'Ik wou...' Verder komt hij niet. Kim gooit de sneeuw in de lucht, zodat het op Daans hoofd dwarrelt.
'Haha...' lacht ze. 'Je bent een sneeuwpop.' Ze rent gauw weg. Want Daan heeft alweer een hand sneeuw te pakken. Met rode gloeiwangen rent hij achter Kim aan.

'Daan... Kim... we gaan naar school!' klinkt het door de tuin. Het is de stem van Francien.
'Je hoeft ons niet te brengen,' zegt Daan verontwaardigd. 'We zijn geen baby's meer.' Maar dan ziet hij dat Francien de slee uit de schuur heeft gehaald. 'Joepie, we mogen op de slee! Ik mag voorop.' En Daan zit al.
'Kim mag ook voorop,' zegt Francien. 'Op de helft wisselen jullie om.'
Kim zit en... daar gaat de slee. Wat is dat leuk! Vooral als Francien een eindje gaat rennen.
'Harder! Harder!' roept Daan.
'Ik wil elke dag met de slee naar school,' zegt Kim.
'Ik ook,' zegt Daan.
Jammer genoeg zijn ze veel te snel bij school.

'Nog één blokje,' zegt Daan.
'Alleen tot de hoek,' probeert Kim.
Maar Francien schudt beslist haar hoofd. 'Koen wordt zo wakker.'
'Kom je ons weer met de slee halen?' vraagt Daan.
'Misschien wel.' En Francien trekt de slee mee naar huis.
Het is heel druk op het schoolplein. De kinderen van groep zeven en acht bekogelen elkaar met sneeuwballen. De kleintjes gaan maar gauw naar binnen. Ze zijn een beetje bang dat ze een bal in hun gezicht krijgen, want die groten gooien heel hard!

Je kunt wel zien dat het buiten sneeuwt. Onder de kapstok staat een lange rij laarzen met plasjes water eronder. Juf Inge wil niet dat die sneeuwlaarzen mee de klas in gaan. Lisa, Quilfort en Daan glijden op hun sokken door de klas. Maar Kim heeft prachtige konijnenslofjes aan en Frank berensloffen.
Als ze in de kring zitten, pakt juf Inge haar gitaar.
'Dag meneer de sneeuwman,' zingt ze en de kinderen zingen mee:
'Waar kom je vandaan?
Dag meneer de sneeuwman, blijf maar staan.
Hier is een bezem, een stok en een hoed.
Dag meneer de sneeuwman, het staat je goed.'
Als ze uitgezongen zijn, beginnen de ogen van juf Inge te twinkelen. 'Als jullie heel stilletjes doen, mogen jullie zo je jas en je laarzen aantrekken. En dan gaan we buiten een sneeuwpop maken.'
'Hoera!' juichen de kinderen. Maar dan slaan ze verschrikt hun hand voor hun mond. Ze zouden zachtjes doen.

'Als muisjes...' waarschuwt juf Inge en ze gaat de kinderen voor naar de gang.

Juf Inge had gezegd dat ze een sneeuwpop gingen maken, maar het wordt een hele familie. De grote kleuters maken vader en moeder sneeuwpop. En de kleintjes de kinderen. Kim helpt hen een beetje. Juf Inge heeft overal aan gedacht. Ze geeft de kinderen wortels en knopen voor de neus en de ogen, en een bezem. De dassen en hoeden mogen ze uit de verkleedkist halen.
'De sneeuwpoppenkindjes hoeven geen hoed,' zegt juf Inge.
'Mijn muts!' roept Friso ineens. 'Sid heeft mijn muts afgepakt.'
'Nietes!' Sid houdt zijn handen op. 'Ik heb helemaal geen muts.'
Nu schrikt Friso nog erger. 'Mijn muts... mijn muts is weg!' Hij moet er bijna van huilen.
'Pestkop,' zegt Kim tegen Sid. 'Geef die muts terug!'
'Kijk maar naar zijn sneeuwpop,' lacht Sid.
'Dat is mijn muts!' roept Friso.
Kim wil de muts pakken, maar dat mag niet van juf Inge. 'Sid, haal die muts heel voorzichtig van de sneeuwpop af en geef hem aan Friso,' zegt ze streng.
Sid bukt. Hij rukt de muts zo wild van de sneeuwpop af dat het hoofd van de sneeuwpop erin blijft steken.
'Eigen schuld.' Sid gooit de muts met het hoofd erin naar Friso toe.
Nu wordt juf Inge heel boos. 'Ga jij maar gauw naar binnen. Zo'n stout jongetje wil ik niet zien.'
Friso kijkt naar zijn sneeuwpop. De tranen rollen over zijn wangen.

‘Wacht maar, ik help je wel.’ En Kim maakt een nieuw sneeuwpoppenhoofd.
Sid zit niet lang alleen in de klas. De sneeuwpoppenfamilie is klaar. Met rode wangen lopen de kinderen naar binnen. Nu pas voelen ze hoe koud ze zijn. Hun handen en voeten tintelen.
Als ze naar hun sneeuwpoppen kijken, zien ze twee merels.
‘Wat een dikzakken,’ zegt Quilfort.
‘Dat lijkt maar zo,’ legt juf Inge uit. ‘Ze hebben hun veren opgezet van de kou.’
‘En van de honger,’ zegt Frank. ‘Want als er sneeuw ligt, kunnen de vogels geen eten vinden.’
‘Daarom hebben wij een voedertafel in de tuin,’ zegt Annabel.
‘Mogen wij hier ook een voedertafel gaan maken, voor op het schoolplein, juf?’ vraagt Frank. ‘Ik vind het

anders zo zielig voor die vogeltjes.'
'Zoiets was ik al van plan.' Juf Inge haalt een grote zak pinda's te voorschijn. 'Ik wou pindakettingen met jullie rijgen. Die hangen we dan aan de boom.'
Maar Lisa weet iets veel leukers. 'We hangen ze om de sneeuwpoppenfamilie.'
'Jaaa!' joelen de kinderen. Gelukkig vindt juf Inge het ook een goed plan.
Als ze klaar zijn met rijgen, houdt ze een zak vol stukjes brood omhoog. 'Waar zullen we dit strooien? Het moet een plek zijn waar de poezen niet bij kunnen.'
'Op de hoeden van de sneeuwpoppen,' zegt Quilfort.
'Wat heb jij toch een knappe ideeën,' zegt juf Inge. 'Jij wordt vast een heel beroemde uitvinder. Strooi het brood maar op de hoeden, Quilfort.' Daarna pakt ze de kettingen en geeft ze aan Lisa. 'Het was jouw idee, ga je gang.'
De kinderen kijken vol trots naar buiten. Wat ziet hun sneeuwpoppenfamilie er deftig uit met die kettingen om!
'Wanneer komen de vogels nou, juf?' vraagt Daan.
'Daar gaan we niet op wachten hoor,' zegt juf Inge. 'We hebben wel iets beters te doen. We gaan een plakwerk maken over de sneeuw.'
'Joepie!' Ze zijn de vogels meteen vergeten, totdat Annabel een schreeuw geeft. 'Moet je zien!'
Binnen een tel staat de hele klas voor het raam. Wat een grappig gezicht is dat! Aan de pindakettingen hangen allemaal meesjes. En de hoeden van papa en mama sneeuwpop zitten vol spreeuwen.
'Mag ik kijken hoeveel stukjes brood er nog zijn?' vraagt Frank.

‘Goed,’ zegt juf Inge.
Als Frank de klas inkomt, rennen ze naar hem toe. ‘Wat lag er nog op de hoeden?’
‘Acht stukjes brood en vijf poepjes,’ zegt Frank.
‘Bah...!’ De kinderen knijpen hun neus dicht.
‘Mijn oma zegt dat een vogelpoepie geluk brengt,’ zegt Houda.
‘Moet je zien.’ Kim wijst naar het groepje spreeuwen dat op de rand van de hoed zit. ‘Papa en mama sneeuwpop krijgen wel erg veel geluk.’
‘Nog meer geluk!’ roept Duko als er weer een spreeuw aan komt vliegen.
‘Ze krijgen het meeste geluk van de hele wereld,’ lacht Lisa. ‘Ze smelten nooit meer van hun leven.’
‘Hoera!’ roepen Daan en Kim. ‘Dan kunnen we elke dag met de slee naar school.’

De munt

Het is bijna voorjaar. Op het weitje tegenover Franks huis staan al kleine lammetjes. En tussen het gras achter de school piepen krokusjes omhoog.
Quilfort heeft de krokusjes geteld, het zijn er negen.
'Tien zal je bedoelen!' Frank raapt een krokusje op dat vlak naast het pad ligt.
'Die is omgevallen,' zegt Kim. 'Hij moet naar het ziekenhuis.'
'Hier was het ziekenhuis.' Lisa rent de bosjes in.
Daan graaft een kuiltje.
'Stop!' Lisa wijst in het kuiltje. Er ligt iets glimmends in.
'Een munt!' Daan legt de krokus in het kuiltje en poetst de munt op aan zijn mouw. Ze zien een afbeelding van een ridder en langs de rand ontdekken ze letters.
'Het is een gouden munt,' zegt Lisa. 'Die was van een ridder.'
Daan knikt. 'Het was een heel rijke ridder die in een groot kasteel woonde.'
'Ja,' zegt Quilfort. 'En hij had een echt harnas.'
'En een heel mooie prinses, met gouden haren. En hij hield heel veel van die prinses.' Kim moet ervan zuchten.
'Maar hij hield nog meer van vechten,' zegt Daan. 'Hij won altijd.'
Lisa pakt de munt uit Daans hand. 'Die munt had hij ook gewonnen. En toen heeft hij hem begraven.

En nu is hij van mij.'
'Nietes,' zegt Daan. 'Het was mijn kuiltje, dus hij is van mij.'
Nu wordt Quilfort ook kwaad. 'Ik heb alle krokusjes geteld. Dus hij is net zo goed van mij.'
'En wie bedacht dat de krokus naar het ziekenhuis moest?' vraagt Kim. 'Ik... dus...'
'Toch is hij van mij.' Lisa doet de munt in haar zak en loopt weg.
'Als je dat doet, ben je nooit meer onze vriend,' zegt Daan. 'En de mijne ook niet,' zegt Kim.
Even aarzelt Lisa en dan legt ze de munt op de grond.
'Goed dan, hij is van ons allemaal.'
'Niemand mag weten dat wij deze gouden munt hebben,' zegt Quilfort. 'Anders pikken ze hem af.'

'We verstoppen hem,' zegt Daan. 'Ik weet een goeie plek. We graven een heel diep gat in de zandbak en daar stoppen we hem in.'
'Daar vinden ze hem zo,' zegt Quilfort. 'Hij moet niet in de zandbak. Hij moet op een geheime plek die niemand weet.'
'Alleen wij, kom mee.' Lisa gaat de anderen voor door de struiken.
'Hier bij deze boom,' fluistert Kim. 'Dat is pas echt geheim.'
Frank gaat met zijn hand over de stam. Ineens ontdekt hij een holletje. 'Hier kan hij!'
Quilfort pakt de munt en stopt hem in het holletje.
Lisa legt haar vinger tegen haar lippen. 'Niemand mag ons geheim weten. Alleen juf, want die verraadt het niet.'
'Juf verraadt nooit iets,' zegt Kim.
'Ik ga haar halen.' Daan schiet de struiken uit en komt een paar tellen later terug met juf Inge.
'Wat hoor ik nu voor spannends?' vraagt juf Inge.
'Hier zit ons geheim in.' Frank tikt tegen het holletje.
'Jij mag het wel zien,' zegt Quilfort.
'Jullie maken mij wel nieuwsgierig.' Juf Inge steekt haar vingers in de boom en... houdt de munt omhoog. 'Het is wel een prachtige munt. Hebben jullie even geluk.'
'Je mag het aan niemand vertellen,' zegt Daan.
'Nee,' zegt Lisa. 'Ook niet aan meester Hans.'
'Ik hou mijn lippen stijf op elkaar,' belooft de juf en ze gaat snel terug naar de zandbak.

De kinderen zitten weer in de klas. Juf Inge leest de grote kleuters een versje voor:

‘Petertje drop, wat gaat hij doen?
Rijgt een veter in zijn schoen.
Door de gaatjes op en neer,
Petertje voelt zich mijn-heer.
Petertje drop loopt van de trap.
O, zijn nieuwe veter knapt.
Wel verbaasd wat is dat gauw,
kijk toch eens hoe kan dat nou?
Iedereen doet sliep sliep uit.
Trek maar gauw die schoen weer uit.
Eet die veter liever op,
Petertje, die is van drop.’
‘Wie kan bedenken wat wij nu gaan doen?’ vraagt juf Inge.
Houda steekt haar vinger op. ‘Veters strikken.’
‘Goed zo.’ Juf Inge geeft de grote kleuters een oude schoen op een plankje. ‘Maar deze veter is niet van drop, hoor,’ waarschuwt ze. ‘Die kun je niet opeten.’
Kim weet al hoe ze veters moet strikken. Dat heeft papa haar geleerd. De andere kinderen vinden het best moeilijk. De juf doet het heel langzaam voor, zodat ze goed kunnen zien hoe het moet. En als ze het even niet weten, mogen ze het aan de juf vragen, of aan Kim, want die kan het ook.
De kinderen van de blauwe tafel zijn zo ingespannen bezig, dat ze de munt helemaal zijn vergeten. Pas als ze na het pauzehapje buiten spelen, denken ze er weer aan.
‘We gaan naar onze munt!’ Daan rent de struiken in. ‘Ik mag hem eruit halen.’ Bij de voorste boom blijft hij staan. Hij zoekt het holletje, maar kan het nergens vinden.
Lisa bukt. ‘Hier is het.’

Daan stopt zijn vingers in het holletje, maar hij voelt niks. 'Hij is weg. Iemand heeft hem gepikt.'
Om de beurt steken ze hun vingers in de boom, maar de munt vinden ze niet.
'Ik weet het al, jij hebt hem gepikt.' Daan grijpt Lisa's hand vast.
'Ja,' zegt Quilfort. 'Eerst deed je de munt ook in je zak.'
'Je moet hem teruggeven,' zegt Kim. 'Of wil je soms een dief zijn?'
Nu wordt Lisa boos. 'Ik heb hem niet gepikt. Je bent zelf een dief.'
'Als je hem niet geeft, vertel ik het tegen juf,' zegt Kim.
'Stommerds! Ik ga het zelf tegen juf vertellen.' En Lisa loopt weg.
'Wat hoor ik nu?' Met een huilende Lisa aan haar hand komt juf Inge de struiken in. 'Hebben jullie ruzie?'
'Moet ze maar niet zo vals doen,' zegt Kim. 'Ze pikt steeds de munt.'
'Kijk maar.' Daan steekt zijn vingers in de boom.
'Helemaal leeg.'

Juf Inge schudt haar hoofd. 'Natuurlijk is dat holletje leeg. Kijken jullie eens goed, is dit wel de goeie boom?'
De kinderen kijken naar de bomen. Ze weten het niet meer.
'Hier was het.' Daan rent naar een andere boom.
'Nee hier.'
'Hier.'
Ze staan alle vijf bij een andere boom.
'Fout,' zegt Daan. 'Ik zie geen holletje.'
'Ik ook niet,' zeggen Kim en Lisa.
'Ik heb hem!' Frank houdt de munt omhoog.
'Zie je nou dat ik hem niet had gepikt,' zegt Lisa.
'Sorry,' zeggen de anderen.
'Nou,' zegt juf Inge, 'in het vervolg goed onthouden welke boom het is.'
'Ik weet wat,' zegt Frank. 'We zetten het krokusje hier, dan kunnen we het nooit meer fout doen.'
'Ja, dat doen we.'
Een eindje verderop ligt de krokus nog in het kuiltje. Kim haalt hem eruit. 'Je hoeft niet meer in het ziekenhuis. Je bent beter.' En ze neemt het krokusje mee naar de boom, graaft een kuiltje en zet het erin.
'Jij was de lijfwacht van de ridder. Je moet goed opletten dat niemand onze munt pikt. Begrepen?' Daan duwt zachtjes met zijn vinger tegen het steeltje van de krokus en het kopje knikt ja.

De schoolfotograaf

Het lijkt wel of de kinderen van de Grote Beer jarig zijn. Ze zien er zo feestelijk uit. Dat komt doordat ze vandaag op de foto gaan. Ook de meesters en de juffen hebben hun mooie kleren aan. Juf Inge heeft zelfs rode lippen en meester Hans heeft een nieuw T-shirt gekocht.
'Wat zijn we allemaal deftig vandaag, hè?' zegt juf Inge als ze in de kring zitten. 'Bibi heeft ook al zijn zondagse pak aan.'
Melanie steekt haar vinger op. 'Ik heb nieuwe haren gekregen van de kapper.'
De grote kleuters moeten lachen. 'De kapper heeft geen haren te koop,' zegt Mieke. 'Hij knipt ze alleen maar.'
'Het ziet er wel heel mooi uit,' zegt juf Inge. 'En Kim heeft ook al van die prachtige krullen.'
'Maar die zijn ook een beetje voor oma,' zegt Kim. 'Want die is vandaag jarig.'
'Dat is een spannende dag voor jou,' zegt juf Inge. 'Op de foto en dan ook nog een jarige oma.'
'Twee dingen,' telt Quilfort.
'Drie zal je bedoelen. Kijk maar.' Kim doet haar mond open en beweegt met haar vinger haar voortand heen en weer.
Juf Inge slaat haar handen verrast in elkaar. 'Je hebt een wiebeltand!'
En dan beginnen de kinderen te zingen:

‘Wiebeltand, wiebeltand,
Kim heeft een wiebeltand,
O olifant, wat is er aan de hand...’
‘Weet je al wat je oma gaat geven, Kim?’ vraagt juf Inge.
Kim haalt haar schouders op. ‘Ik weet niks.’
‘Wil je soms een mooi schilderij maken?’ vraagt juf Inge.
‘Ik heb al honderdmiljoen schilderijen voor oma gemaakt.’ En Kim wiebelt weer aan haar tand.
‘Je kan bloemen plukken.’ Lisa wijst naar het grasveld achter de school. Er steken allemaal madeliefjes en paardebloemen boven het gras uit.
‘Oma heeft zelf een winkel vol bloemen,’ zegt Kim en ze zucht. Wat moet ze nu geven? Veel tijd om na te denken heeft ze niet, want de deur van de klas gaat al open.
‘De fotograaf...’ fluisteren de kinderen. Meteen is het doodstil in de klas. Iedereen vindt het zo spannend.
‘Jullie zijn toch niet bang voor mij, hè?’ vraagt de fotograaf. ‘Ik heb nog nooit een kindje opgegeten.’
‘Ook geen juffen, hoop ik?’ vraagt de juf.
Nu moeten ze wel een beetje lachen. Wie eet er nu een juf op.
‘Veel te taai,’ zegt Lisa.
‘Dan breek je je tanden,’ zegt Kim. ‘En ik heb al een losse tand. Kijk maar.’ En ze beweegt haar tand heen en weer.
De fotograaf neemt de kinderen en Bibi mee naar buiten. Ze mogen op de klimboog gaan zitten. Kim mag Bibi

vasthouden, omdat die een jarige oma heeft.
'Wat doen we, jongens?' vraagt de fotograaf. 'Mag de juf ook op de foto?'
'Jaaa!' joelen de kinderen.
'Dus het is wel een lieve juf?' vraagt de fotograaf.
'Om op te eten, nou goed,' lacht Lisa.
'Jij lijkt mij wel een brutaaltje,' zegt de fotograaf tegen Lisa. 'Durf jij boven op de klimboog te zitten?'
'Ik durf ook op mijn kop te hangen,' zegt Lisa.
'Ik ook...' zegt Daan.
Een paar tellen later hangen Daan en Quilfort en Lisa op hun kop.
'Frank, jij moet ook op je kop,' zegt Daan. Maar Frank durft het niet. Hij is bang dat hij duizelig wordt. En Kim doet het ook niet, dat gaat niet met Bibi in haar hand.
'Juf, ik snap iets niet,' zegt de fotograaf. 'Ik dacht dat ik kinderen op de foto moest nemen. Maar er zitten ook aapjes tussen en een beer.'
'Zo blijven mijn stekeltjes rechtop staan,' zegt Daan.
De kinderen lachen en – KLIK – de eerste foto is gemaakt. 'Deze was om even te wennen,' zegt de fotograaf. 'Nu maken we een foto waarop iedereen rechtop zit.'
De kinderen kruipen over het klimrek. Daan wil per se naast Lisa zitten en Frank tussen Kim en Quilfort in. Eindelijk zit iedereen klaar. De fotograaf kijkt door zijn toestel. Hij wil net klikken als Friso aan komt lopen met zijn broek op zijn schoenen.
'Nee hè?' zegt de juf. 'Ik wist helemaal niet dat jij naar de wc was.'
'Buiten hing geen ketting, juf,' zegt Friso.
Iedereen schiet in de lach. De juf gelukkig ook. Ze

maakt Friso's broek dicht. 'Het spijt me, fotograaf, de foto moet over. Dit jongetje hoort er ook bij.'
De fotograaf vindt het niet zo erg. Die is het wel gewend dat er af en toe iets misgaat.
Opnieuw zit iedereen rechtop.
'Daar komt-ie, hoor,' waarschuwt de fotograaf.
'Mijn tand!' roept Kim ineens. Ze houdt haar hand met de tand erin in de lucht en... KLIK!
'Dat wordt een bijzondere foto,' zegt juf Inge. 'Kim staat erop met haar tand in haar hand. Spoel hem binnen maar voorzichtig onder de kraan af, dan doen we hem in een glaasje water.'
Met Bibi in de ene hand en haar tand in de andere rent Kim naar de kraan. Halverwege het schoolplein blijft ze staan. 'Ik weet het al, ik weet al wat ik oma geef, mijn tand!'
Dat vindt iedereen een goed idee.
'Dan doe ik hem in een heel mooi doosje,' zegt Kim blij.

Juf Inge vindt het ook leuk. 'Dan maak jij vandaag een heel mooi tandendoosje voor oma.'
Als de fotograaf weg is, zoekt ze een leeg doosje en een paar watjes. En terwijl de andere kinderen een werkje doen, mag Kim het doosje beplakken. Juf Inge geeft haar een zacht fluwelen lapje en kleine kraaltjes. Ze helpt Kim een beetje, want het moet natuurlijk wel een extra mooi doosje worden, voor zo'n jarige oma.

Een ongeluk

Als alle kinderen in de klas zitten, trekt juf Inge de deur dicht. Ze kijkt de kring rond, maar ze zegt niks. De kinderen zien aan haar ogen dat ze iets heel spannends wil vertellen.
'Je hebt een verrassing,' zegt Lisa.
De juf knikt geheimzinnig.
'Vertel op!' roept Daan.
'Na het buiten spelen komen de kinderen van juf Koosje een uurtje in onze klas,' zegt juf Inge.
'Allemaal?' Kim doet of ze flauwvalt. 'Dan ploffen we uit de klas.'
'Ik weet al waarom ze komen,' zegt Houda. 'Juf Koosje moet naar de dokter.'
Juf Inge schudt haar hoofd.
'Naar de tandarts,' zegt Frank. 'Want juf Koosje is een snoeperd. Ze eet altijd drop, dat heeft Karan zelf verteld.'
'Jullie hebben het mis,' zegt juf Inge. 'Juf Koosje hoeft niet weg. Ze blijft in de klas. Ze gaat iets heel belangrijks doen.'
'Wat dan?'
'Ze gaat een echt derde-groepers-werkje doen met de kinderen van groep twee.'
Even is het stil, maar dan beginnen de grote kleuters te juichen. 'Dat zijn wij! Wij mogen lekker naar juf

Koosje!' Ze dansen op hun stoeltjes.
Het is maar goed dat juf Inge het niet eerder heeft verteld. Ze zijn zo opgewonden. En de kleintjes van groep een zijn er juist een beetje stil van. Het lijkt hun best een beetje eng met die derde-groepers erbij.
'Ze mogen niet alles afpakken,' zegt Friso.
'Dat doet Jasper niet,' zegt Lisa. 'Die is hartstikke lief.'
'En Marloes en Karan helemaal,' zegt Kim.
'Wij gaan lekker naar juf Koosje...' zingen de grote kleuters en ze stampen op de maat op de grond.
'Het is nog niet zo laat,' zegt juf Inge. 'Eerst gaan we nog een werkje doen.'
Maar daar komt niet veel van terecht. Ze vinden het zo spannend dat ze straks naar juf Koosje gaan. Daan is al twee keer gestruikeld. En Mieke valt met stoel en al op de grond. Eindelijk het tijd is om buiten te spelen. Ze stormen luid schreeuwend naar de deur.

'Nu is het afgelopen!' Juf Inge geeft een klap op tafel. 'Ik wil dat jullie rustig doen. Straks gebeuren er nog ongelukken.'
De kinderen zijn meteen stil van die strenge stem. Heel rustig, zonder te duwen, lopen ze naar buiten. Maar ze zijn nog geen twee minuten op het schoolplein of ze zijn het alweer vergeten.
'We doen botsautootje,' zegt Lisa.
'Hè nee, van jou moeten we altijd wilde spelletjes doen,' zegt Kim. 'Ik vind vader en moedertje veel leuker. En dan was ik moeder.'
'Ik ook,' zegt Frank. Maar de andere drie rennen al met hun armen over elkaar over het schoolplein.
'Ik was een heel gevaarlijke botsauto,' zegt Daan. 'De gevaarlijkste van de wereld. Iedereen was bang voor mij.'
'Behalve ik.' Lisa neemt een aanloop en botst tegen Daan op. Daan botst terug, op zijn allerhardst en... Lisa klapt achterover op de grond.
Eerst schieten ze in de lach. Maar als Lisa blijft liggen, schrikken ze. 'Au, au mijn hoofd!' huilt Lisa en als ze naar haar hoofd grijpt, zien ze dat er bloed aan haar hand zit.
Juf Inge komt al aangehold. Ze zet Lisa voorzichtig rechtop.
Nu schrikken de kinderen nog erger. Er druppelt bloed uit Lisa's hoofd.
'Het doet zo'n pijn...!'
Juf Inge streelt haar gezicht. Nu komt meester Hans er ook bij. Hij maakt Lisa's hoofd een beetje schoon zodat hij de wond kan bekijken.
'Zal ik een pleister halen?' vraagt Kim.

Juf Inge kijkt naar meester Hans. 'Toch maar even naar de dokter, hè?'
Meester Hans knikt.
'Ik wil niet naar de dokter,' huilt Lisa. 'Ik wil naar juf Koosje.'
'Luister Lisa,' zegt juf Inge. 'Je bent heel hard gevallen. Ik wil dat de dokter even naar je hoofd kijkt.'
Met bleke gezichten staan de kinderen om haar heen. Ze zien hoe het bloed op Lisa's kleren drupt. Van hun vrolijke bui is niks meer over.
Meester Hans belt naar Lisa's huis, maar hij krijgt geen gehoor.
Juf Inge tilt Lisa op. 'Wij gaan samen naar de dokter.' En ze draagt haar naar de auto. De kinderen lopen met hen mee.
'Dag Lisa,' zeggen ze als juf Inge hun vriendinnetje in de auto tilt.
Frank heeft tranen in zijn ogen. 'Misschien moet ze wel in het ziekenhuis blijven,' zegt hij half huilend.
Als juf Inge de auto start, zwaaien ze naar Lisa, maar die ziet het niet. Met een spierwit gezichtje staart ze voor zich uit.

Een beetje beduusd blijven de kleuters op het schoolplein achter. Ze moeten steeds aan het ongeluk denken. En nu is hun juf ook nog weg. Gelukkig valt meester Dik voor haar in. Die vinden ze allemaal heel lief.
'Ik vergeet het ongeluk nooit meer van mijn leven,' zegt Frank.
'Ik ga nooit meer rennen,' zegt Daan. 'Ik speel alleen nog vader en moedertje.'
'Dan mag Lisa altijd moeder zijn,' zegt Kim.

Als ze even later de klas van juf Koosje instappen, vergeten ze het toch een beetje.
Het is ook zo spannend. Boven het schoolbord hangen allemaal woordjes. En de planken aan de muur staan vol boeken. Geen plaatjesboeken om in te kijken, maar leesboeken met echte letters erin. Op elk tafeltje staat een pennenbakje en als ze stiekem in het laatje onder hun tafeltje gluren, zien ze stapels schriften.
Eerst lijkt het werkje van juf Koosje niet zo moeilijk. Ze verzinnen met elkaar een verhaaltje over een boom. Om de beurt bedenken ze een zinnetje. En daarna maken ze een tekening van die boom. Maar dan komt het moeilijkste. Juf Koosje schrijft het woordje boom op het

bord. Ze moeten het op hun tekening overschrijven.
Met de oo zijn ze zo klaar, gewoon twee rondjes. Maar de b duurt lang. Die lijkt een beetje op de d van daan, maar dan zit zijn buik aan de andere kant. De m vinden ze het allermoeilijkst. Behalve Kim en Mieke, want die hebben de m al heel vaak geoefend omdat hij in hun

naam zit. Als ze klaar zijn, krijgen ze van juf Koosje een werkblad dat propvol letters staat. 'Jullie zijn detectives,' zegt juf Koosje. 'Jullie moeten de letters van het woordje boom opsporen en er een rondje omheen zetten.' Dat is een heel spannend werkje. Als juf Koosje het met hen nakijkt, zijn ze allemaal wel een paar letters vergeten. Toch is juf Koosje heel tevreden. Ze geeft de kinderen het werkblad mee, zodat ze het aan juf Inge kunnen laten zien.
Vol trots, met het werkblad in hun hand, huppelen ze de klas in. Juf Inge is net terug van de dokter. Ze heeft haar jas nog aan. Ze vertelt hoe het met Lisa is gegaan. 'De dokter gaf haar drie prikjes. Daar werd de zere plek op haar hoofd heel koud van. Zo koud, dat ze niks meer voelde. Toen heeft hij het gat in haar hoofd dichtgenaaid.'
'En nu?' vraagt Kim. 'Waar is ze nu?'
'Lisa moet een beetje uitrusten,' zegt juf Inge. 'Op de terugweg ben ik langs haar huis gereden. Gelukkig was

de moeder van Lisa thuis. Vanmiddag ga ik nog even bij haar kijken. Het lijkt me leuk als jullie een mooie tekening voor haar maken, dan neem ik die mee.'
'Ik weet al wat ik teken,' zegt Daan. 'Ik maak een boom. En dan schrijf ik het eronder. Dan weet ze meteen hoe het woord boom eruitziet.'
'Dat doe ik ook.'
'Ik ook.'
De hele blauwe tafel tekent een boom voor Lisa. Daarna pakken ze hun werkblad en schrijven het woordje over. Op hun allermooist, omdat het voor Lisa is.

Afscheid

Het is de laatste dag voor de vakantie. En voor de grote kleuters is het ook de laatste dag bij juf Inge. Gelukkig is het gat in Lisa's hoofd weer helemaal genezen. Toch hebben de kinderen van de blauwe tafel geen goed humeur. Een beetje mopperig lopen ze naar school.
'Leuke laatste dag,' zegt Lisa. 'We hoeven nog geeneens een bord mee te nemen.'
'We hebben ook geen kleedjes geknipt,' zegt Frank.
'Wedden dat we geen patat krijgen?'
Daan schopt een steentje weg. 'Ik vind het vals. Vorig jaar kregen de grote kleuters wel patat.'
'En toen moesten wij nog een bloempotje versieren, voor hun plantje,' zegt Quilfort.
'Nou krijgen wij niks,' zegt Kim. 'We mogen zeker wel de klas opruimen. Nou, mooi niet!'
Maar als ze de hoek omslaan, blijven ze staan.
'Moet je nou zien!' Ze rennen naar school. Voor het hek staat een huifkar met twee ponypaardjes ervoor. De huifkar is versierd met slingers en lampionnen. Naast de pony's staat een koetsier met iemand te praten. Als ze dichterbij komen zien ze dat het juf Inge is. 'Die huifkar is voor ons!' roepen ze blij. En ze dansen over de stoep. Ze hebben het goed geraden. Omdat het de laatste schooldag is, gaan groep een en twee een tochtje met de huifkar maken.

'Dag lieve paardjes!' Kim, Daan en Quilfort en Lisa aaien de pony's. Frank geeft ze zelfs een kusje op hun neus.
Ze hoeven niet de klas in. Op straat, vlak bij de huifkar, leest juf Inge de namen op. 'Gelukkig,' zegt ze. 'Iedereen is er. Klimmen jullie maar in de huifkar.' Elk kind krijgt een gekleurd beertje opgespeld zodat je kunt zien dat ze bij de Grote Beer horen. Er zijn gele, rode, groene en blauwe beertjes.
De koetsier geeft een tikje met de zweep en... daar gaan ze!
KLIK-KLAK-KLIK-KLAK... klinkt het op de weg. En de belletjes die langs de huifkar hangen, rinkelen vrolijk. Alle voorbijgangers kijken op. En een buschauffeur zwaait naar de kinderen. Als ze voor het stoplicht staan, beginnen de paardjes te hinniken.

'O jee,' zegt de koetsier. 'Wat zijn het toch een brutaaltjes. Weten jullie waarom ze hinniken? Ze willen een liedje horen.'
'Nou jongens,' zegt juf Inge, 'dat komt goed uit. Wij kennen wel een liedje over ponypaardjes, hè?' Ze begint te zingen en alle kinderen zingen mee:
'Pony ponypaardje, mag ik vragen,
pony ponypaardje, wil je mij dragen?
Brengen naar de groene wei.
Pony ponypaardje, we horen erbij.'
De koetsier heeft gelijk. De paardjes houden meteen op met hinniken. Hun hoefjes klikken weer vrolijk op de weg.
De kinderen vinden het een feest in de huifkar. 'Ik weet al hoe we gaan,' zegt Daan. 'We gaan tot die brug en dan draaien we om. Dat moet wel. Want daar begint de grote weg. En daar mogen alleen auto's op en vrachtauto's.'
'Gaan we dan al terug?' roepen de kinderen teleurgesteld.
Gelukkig heeft Daan het mis. De paardjes keren niet om. Vlak voor de brug slaan ze rechtsaf, het park in. En bij de speelwei, waar een paar vaders en moeders staan te wachten, houden ze stil.
'Hier mogen jullie spelen,' zegt juf Inge.
'Joepie!' Zodra ze de huifkar uit zijn, rennen ze over het gras. Want midden op de speelwei staat een grote klimboom.
'Ik was een aap,' zegt Lisa. 'Ik klom in de boom.'
'Ik ook... ik ook... oeaaa... oeaaa...' klinkt het uit de boom en als echte aapjes slingeren ze aan de takken heen en weer.

‘Wat zie ik nu?’ zegt juf Inge verbaasd. ‘Zijn jullie allemaal aapjes geworden? Maar dan ben ik een apenjuf.’
En ze klimt bij de kinderen in de boom.
De aapjes hebben nu wel lang genoeg geslingerd. De apenjuf klapt in haar handen. ‘Aapjes, kom maar uit de boom. We gaan apentikkertje spelen.’
De apenjuf heeft een heel grappig spel bedacht. Ze is zelf de tikker. En de aapjes moeten de plek waar ze worden getikt, met hun hand vasthouden. En wie geen handen meer over heeft en toch wordt getikt, is af.
De apenjuf tikt Sid op zijn bil en daarna op zijn voet. Nu moet Sid rennen, met één hand op zijn bil en één op zijn voet. De kinderen moeten lachen, het is ook zo’n gek gezicht. Als alle apen af zijn, zetten de vaders en moeders ieder een mand op het gras.

'Hoera... picknicken!' juichen de kinderen.
'Luister goed,' zegt juf Inge. 'Jullie moeten zelf raden bij welke mand je hoort.'
'Hoe kan dat nou?' vraagt Kim. 'Die manden kunnen toch niet praten?'
'Kijk maar wat erin zit,' zegt juf Inge.
De kinderen halen uit elke mand een tafelkleed.
'Ik heb een gele,' zegt Friso.
'Ik een blauwe,' zegt Duko.
'Ik een rode,' zegt Quilfort.
En Mieke houdt een groen tafelkleed omhoog.
'Ik weet het al!' Quilfort loopt naar Duko toe. 'Ik hoor bij dat blauwe kleed, want ik heb een blauw beertje. En jij hoort bij het rode.'
'Knap hoor,' zegt juf Inge.
Er zit nog veel meer in de mand. Onder het tafelkleed vinden ze bordjes en bekertjes. Bij de grote kleuters staat er een naam op. De kleintjes hebben een sticker. Ze vinden een thermosfles met limonade. En helemaal onder in de mand staat een grote schaal. Wat zou daar nu in zitten? Ze moeten hem met zijn tweetjes dragen, zo zwaar is hij. Als ze het deksel oplichten, beginnen ze te juichen.
'Hoera! Pannenkoeken!'
'Ik bak elk jaar pannenkoeken voor mijn grote kleuters,' zegt juf Inge. 'Dat moet wel.'
'Waarvoor?' vragen de kinderen.
Juf Inge trekt een geheimzinnig gezicht. 'Het moet een geheimpje blijven. Ik roer altijd een toverpoedertje door het beslag. En weten jullie waar dat voor is? Om heel goed te kunnen leren.'
'Echt waar? Zit er toverpoeder in de pannenkoeken?' Ze kijken de vaders en moeders aan, maar die halen hun

schouders op. 'Juf Inge heeft de pannenkoeken gebakken, wij weten er niks van.'
'Ik neem er twee,' zegt Daan. 'Dan kan ik helemaal goed leren.'
'Ik drie, dan kan ik zo'n dik boek uitlezen als ik bij juf Koosje in de klas zit.' Quilfort houdt zijn handen een eindje uit elkaar. Maar drie pannenkoeken krijgt Quilfort niet op. Als hij er twee op heeft en zijn limonade heeft opgedronken, zit zijn buik vol.
Na de picknick maken ze een grote kring met juf Inge in het midden.
'Ik ben de apenjuf,' zegt juf Inge. 'Jullie doen mij na.'
De apenjuf kijkt heel boos en... alle aapjes kijken boos.
Nu stampt de apenjuf op de grond en alle aapjes stampen op de grond. De apenjuf krabt op haar hoofd en steekt daarna haar tong uit. Wat ze ook doet, de kleine

aapjes doen haar na. Als de apenjuf onder haar arm wil krabben, voelt ze ineens een kriebeltje in haar neus. Hatsjie... klinkt het. Dat hoort niet bij het spel natuurlijk, maar de aapjes apen haar toch na. 'Hatsjie!' roepen ze in koor en ze kijken de apenjuf brutaal aan.
'Stouterdjes,' zegt de apenjuf. 'Durven jullie wel, je lieve juf in de maling nemen, hè?'
'Stouterdjes,' zeggen de aapjes. 'Durven jullie wel, je lieve juf in de maling nemen, hè?'
'Help!' zucht de apenjuf en ze grijpt naar haar hoofd.
'Help!' zuchten de aapjes en ze grijpen ook naar hun hoofd.

Wacht maar, denkt de apenjuf, ik krijg jullie wel.
'Ik wil terug naar school!' roept ze.
'Ik wil terug naar school!' roepen de aapjes.
'Haha...' lacht de apenjuf. 'Jullie hebben het zelf gevraagd.' En ze stapt in de huifkar.
'Nee...' Nu doen de aapjes haar niet na. Ze willen de hele dag wel blijven. Maar dat kan jammer genoeg niet. De koetsier moet weer naar huis. Eerst aaien ze de paardjes en dan klimmen ze in de huifkar.
Eenmaal op school is het feest bijna afgelopen. Alle grote kleuters krijgen nog een prachtig pennenbakje. Dat heeft juf Inge zelf gemaakt. De kleintjes van groep een hebben de gekleurde ballonnetjes erop geverfd. De kinderen zijn er heel blij mee en stoppen het in hun rugtas, bij de werkjes die juf hun heeft meegegeven. En dan gaat de bel.
'Nu ben je nooit meer onze juf.' Kim slaat twee armen om juf Inge heen.

'Misschien ben ik nog wel een keer jullie juf,' zegt juf Inge. 'Volgend jaar blijf ik nog bij de kleuters. Maar daarna neem ik weer eens een andere groep.'
'Dan moet je ons nemen!' zegt Lisa.
'Jaaa!' Alle grote kleuters hangen om juf Inges hals. Ze rolt bijna om. De grote kleuters geven hun juf een dikke afscheidszoen. Met de armen om elkaar heen huppelen ze het schoolplein af. Er zijn veel leuke dingen om aan te denken. Het is fijn dat ze in augustus naar groep drie gaan. Dat ze echt leren lezen en schrijven en rekenen is ook fijn. Maar dat ze nu vakantie hebben en net zolang kunnen spelen als ze willen, dat vinden ze nog het allerallerfijnst.